Mathias und Amadou

ENTWICKLUNGSZUSAMMENARBEIT – NICHT NUR EIN TRAUM

Dieses Buch erzählt eine Geschichte, wie ich sie früher gerne meinen beiden Kindern erzählt habe.

Sie sind inzwischen erwachsen, und ich bin heute EU-Kommissar für **Entwicklungszusammenarbeit und Humanitäre Hilfe**.

Vielleicht wundert ihr euch darüber, was ich zu sagen habe, aber es ist sehr wichtig.

Es geht ganz einfach darum, dass wir alle auf demselben Planeten leben und es deshalb selbstverständlich sein sollte, dass die Reicheren den Ärmeren helfen...jeder, so wie er kann.

Wenn du diese Geschichte gelesen hast, verstehst du das vielleicht besser und wirst – wie wir Erwachsenen – bald etwas tun wollen.

Louis Michel

Mitglied der Europäischen Kommission
Zuständig für Entwicklung und humanitäre Hilfe

Mathias und seine Schwester Amelie schauen abends vor dem Ins-Bett-Gehen sehr gerne Fernsehen. Heute wird ein Film über Tiere in Afrika gezeigt.

– Amelie, stell dir vor, all diese Elefanten und Giraffen laufen überall einfach so frei herum... Afrika muss wirklich groß sein...

An diesem Abend schläft Mathias sofort ein und hat einen **Traum**. Er träumt, dass er in Afrika ist, aber komischerweise ist es da ganz anders als in dem Fernsehfilm...

ÛÛÛÛT !
??
IMAGES D'AFRIQUE

AUTOBUS

Er träumt, dass er aufwacht, die Füße im Sand. Mit seinem Schulranzen auf dem Rücken wartet er wie jeden Morgen auf den Schulbus, nur dass hier alles ganz anders ist als sonst...

Der Bus ist zum Brechen voll. Die Straße ist so schlecht, dass Mathias bei jeder Unebenheit wie ein Ball hin- und hergeworfen wird. Er stößt an alle Leute, die um ihn herum stehen. Sie halten ihn, damit er nicht umfällt.

– Da gewöhnt man sich schon dran...
Amadou lacht und hilft Mathias auf. Es stimmt, Amadou ist wirklich daran gewöhnt. Er und sein Vater nehmen diesen Bus jeden Tag.

Im nächsten Dorf steigt Amadous Vater aus. Er arbeitet auf einer großen Kakaoplantage. Auch Kinder im Alter von Mathias und Amadou steigen aus. Mathias wundert sich ein bisschen:

– Wohin gehen sie?

– Sie arbeiten auf der Plantage, wie mein Vater...

Amadou lächelt:

– Da gewöhnt man sich schon dran...

AFRIQUE E
MONO
247-54

ECOLE
avis
2465

Amadous Schule ist nagelneu. Sie wurde zur gleichen Zeit wie das Dorfkrankenhaus gebaut. Das Geld hierfür kam von der Europäischen Union und den Ländern, die zu ihr gehören. Im Klassenzimmer zeigt der Lehrer auf einer alten Karte, wo alle diese Länder liegen. Mathias kennt sie gut und will immerzu die Hand heben:
– Ich weiß es, ich weiß es!

– Hier, das wird dich beruhigen...

Amadou gibt ihm ein Stück Mango. Es ist köstlich und süß. Mathias lacht:

– Wir haben auch Mangos zu Hause, im Laden meines Vaters.

– Schön zu wissen, dass die Leute in deinem Land die Produkte aus meinem Dorf mögen.

2465
134 16

– Da, wo ich herkomme, nennt man das exotische Früchte. Es ist lustig, wenn man bedenkt, dass sie vom Feld hinter der Schule kommen könnten...

Mathias schaut zum Fenster des Klassenzimmers hinaus und ist sich fast sicher, dass gleich der große Lieferwagen seines Vaters vorfahren wird.

Auf dem Rückweg hält der Bus plötzlich am Straßenrand. Ein Reifen ist geplatzt, aber niemand scheint sich über diese unvorhergesehene Verzögerung zu wundern oder zu ärgern. Amadou schaut seinen neuen Freund an:

– Das könnte eine Weile dauern... Wenn du willst, können wir aussteigen und zu Fuß gehen...

Mathias lacht:

– In Ordnung. Man muss sich wahrscheinlich nur daran gewöhnen, nehme ich mal an...

MAINTENANT !
c'est bon !
NEW
Taxi
36-CLN
Limited

Das Dorf von Amadou ist nicht sehr weit weg. Die beiden Kinder folgen einem Weg zwischen Palmen. Am Ende des Wegs sehen sie einen schönen Steinbrunnen und mehrere Frauen, die riesige Tonkrüge mit Wasser füllen.

– Hallo Mathias! Ich bin Myriam, Amadous Mutter.

Sie setzt sich den Krug auf den Kopf, und die anderen Frauen tun dies auch. Mathias ist das nicht ganz geheuer. Wie weit wird sie wohl mit diesem Ding auf ihrem Kopf kommen?

Die Frauen singen beim Gehen, und die Krüge sehen auf ihren Köpfen wie angewachsen aus... Mathias und Amadou gehen voraus. Auf den Feldern rechts und links wachsen Blumen, die sicherlich bald in die großen Städte im Norden geliefert werden.

CULTURE
DE FLEURS

264
BLAKE

Mathias ist stolz und sehr glücklich. Er betrachtet das Hemd, das der Dorfälteste ihm gerade überreicht hat. Es ist herrlich, so schön leuchtende, warme Farben.
– Gefällt es dir?
– Es ist wunderschön!
Er kriegt kaum ein Wort heraus. Er ist so beeindruckt, dass er gar nicht weiß, was er sagen soll. Er ist noch nie von so einem Häuptling begrüßt worden, der ihm wie ein König oder ein Präsident vorkommt. Von diesem Erlebnis muss er sich erst erholen...

Die Frauen bereiten das Essen zu, während Mathias mit dem Dorfältesten umhergeht. Als er auf das Dorfkrankenhaus zeigt, erklärt ihm der Dorfälteste:
– Es gibt hier viele Unfälle, die Straßen sind sehr schlecht…
Mathias nickt. Beim Dorfältesten hat er das Gefühl, dass er ernst aussehen und so tun muss, als verstünde er etwas von diesen Dingen. Aber in gewisser Weise tut er das ja auch, denn schließlich hat er die Reifenpanne des alten Busses miterlebt, der am Straßenrand liegen geblieben ist…

Es ist die beste Zeit am Tag, genau der richtige Moment zum Entspannen und für einen kleinen Plausch. Mathias und Amadou fühlen sich unzertrennlich.

– Weißt du, wenn ich wieder in meiner Schule bin, werde ich ganz viele Schulsachen sammeln. Wir haben sehr viel, was ihr vielleicht auch brauchen könntet.

1981 ®

rincip
5933
5

Es ist merkwürdig… Alles ist irgendwie gleich und doch anders… Der Traum kommt Mathias so echt vor, und sogar das bunte Hemd, das er so stolz im Schulhof trägt, umringt von seinen Freunden, während er sich fragt, was wohl anders geworden ist.

– Hey, Mathias…, wo warst du die ganze Nacht? Was für ein tolles Hemd!

Sein Ranzen ist einfach zu klein. Er ist vollgestopft mit Radierern, Linealen, Füllern, Klebstoff, nagelneuen Kugelschreibern... Mathias kann es gar nicht fassen... es ist unglaublich... Alle seine Freunde haben verstanden, wie wichtig es ist, mit Menschen zu teilen, die es nicht nur im Traum gibt und die uns noch viel mehr geben können als nur ihre Freundschaft.

Damit eure Eltern, Lehrer oder diejenigen, die diese Geschichte mit euch gelesen haben, euch mehr darüber erzählen können, was **Entwicklungszusammenarbeit** bedeutet und was wir alle gegen die Armut in der Welt tun können, hat die Europäische Kommission (Generaldirektion Entwicklung, Referat Information und Kommunikation) ein ausführlicheres Begleitbuch zu Mathias und Amadou herausgegeben.

Sagt ihnen, dass sie mehr dazu im Internet finden:
http://europa.eu.int/comm/development/index_en.htm
oder sich an das Amt für amtliche Veröffentlichungen der Europäischen Gemeinschaften wenden können.

HERAUSGEBER

Georges Eliopoulos
Europäische Kommission
Generaldirektion Entwicklung
Referat Information und Kommunikation
Rue de la Loi, 200
B–1049 Brüssel

BERATUNG

Luc Dumoulin für Mostra! Communication

ILLUSTRATIONEN

Philippe de Kemmeter

TEXT

Ariane Le Fort – Valérie Michaux

GRAPHISCHE GESTALTUNG

Marc Dausimont

PRINTED IN BELGIUM

EUROPÄISCHE KOMMISSION

Luxemburg: Amt für amtliche Veröffentlichungen
2005– 36pp. – 20x28 cm
ISBN 92-79-00479-4